LES EXPLOITS DES LÉGENDAIRES CONTINUENT EN BIBLIOTHÈQUE VERTE !

. La pierre
les dieux

2. Les épreuves
du Gardien

3. La guerre
des elfes

4. Le sorcier
noir

5. La trahison
du prince

6. Héros
du futur

7. La menace
des dieux

Et pour tout savoir sur tes héros préférés,
file sur : www.bibliotheque-verte.com
et sur www.leslegendaires-lesite.com

DÉCOUVRE LEUR PASSÉ.

LES LÉGENDAIRES
origines

TABLE

PAPIER À BASE DE
FIBRES CERTIFIÉES

⊞ hachette s'engage pour
l'environnement en réduisant
l'empreinte carbone de ses livres.
Celle de cet exemplaire est de :
350 g éq. CO_2
Rendez-vous sur
www.hachette-durable.fr

Photogravure **Nord Compo** - Villeneuve d'Ascq

Imprimé en Espagne par CAYFOSA
Dépôt légal : mars 2013
Achevé d'imprimer : mars 2013
20.2535.1/01 – ISBN 978-2-01-202535-6
Loi n° 49956 du 16 juillet 1949
sur les publications destinées à la jeunesse